목이 긴 꽃병

이 도서의 국립중앙도서관 출판시도서목록(CIP)은 e-CIP 홈페이지
(http://www.nl.go.kr/ecip)에서 이용하실 수 있습니다.
(CIP 제어번호 : CIP2012004953)

목이 긴 꽃병

2012년 10월 29일 초판 1쇄 인쇄
2012년 11월 7일 초판 1쇄 발행

지은이 | 선안영
펴낸이 | 孫貞順
펴낸곳 | 도서출판 작가
        서울 서대문구 북아현3동 1-1278 (우-120-866)
        전화 | 365-8111~2 팩스 | 365-8110
        이메일 | morebook@morebook.co.kr
        홈페이지 | www.morebook.co.kr
        등록번호 | 제13-630호(2000. 2. 9.)

편집 | 손희 김민정
디자인 | 오경은
영업 | 손원대
관리 | 이용승

ISBN 978-89-94815-22-0 (03810)

* 잘못된 책은 구입하신 서점에서 바꾸어 드립니다.
* 지은이와의 협의 하에 인지를 붙이지 않습니다.

* 이 시집은 2011년 서울문화재단 문학창작활성화 지원금으로 발간되었습니다.

값 9,000원

목이 긴 꽃병

선안영 시집

작가

시와 생명,
우리 둘 함께 위태로웠다.

그 곁에
찰싹 엉겨 붙어 살 것인가
멀리 떠나 방황할 것인가
… 오래 망설이는 동안 몇 계절을 탕진했다.

다시 꿈꿀 수 있을까?
꽃대의
수직절벽을,

2012년 가을에
선안영

차례

시인의 말

제1부

제2부

제3부

제4부

제1부

역린逆鱗

1.
창문들 꼭꼭 닫힌
도심 속에 교보 빌딩

오래된 거울처럼
풍경만을 비추다

아가미, 숨을 내쉬듯
열리는 들창 하나

2.
새벽 4시 아파트 숲, 잠 못 든 먼 불빛
겹의 문과 주름 커튼 거두어진 타인의 방

들려진 비늘이 뜯겨
씀벅이는 상처 같다

보름달

잘 여문 내 난자를
누구에게 드릴까요?

봄날의 처녀애는 쌀뜨물만 봐도 애가 선다지요
아! 별처럼 꼬리치며 달려오는 숨찬 것들
휘파람 같은 바람으로도 열매가 맺는다지요

둥글게 풍경을 끌어안은
이슬처럼… 몸 맑은 날

산수유, 비에 젖어

당신이라는 불을 훔쳐 훅 끼치는 유황 냄새 이 가파른 사선에서 자꾸만 넘어져요. 침묵을 가장한 날들 속엔 고열이 들끓지요

아무것도 태워보지 못했던 시간 속에 간신히 잡히는 맥박처럼, 웃음처럼, 노랗게 첫 맘이 피어 여러 빛깔 건너가요

루비 귀걸이 차랑차랑 귀에 걸고 웃을까요? 열매가 툭, 떨어져요. 아! 사랑을 모르는…… 밋밋한 심장을 이루려 열망들을 훑어내요

당신이라는 惡山을 오르며 찢긴 상처에 방울방울 핏방울 맺혀서 떨어지는, 쉽사리 응고되지 않을…… 당신, 제발 안녕하지마

적막을 사온 저녁

날 비린내 달라붙는 남광주 재래시장
멱살잡이 싸움 판 한쪽에서 졸고 있던
벙어리 할머니가 파는
묵 한 모 사왔다

벗겨지고, 깨어지고, 팔팔 끓여져, 굳어진
정지된 시간인 듯 나란히 누운 침묵
그 침묵 완성되기까지
꽉 눌려 생략된 말……

모서리 날선 각이 부드럽게 뭉개지고
이빨과 잇몸까지 받아들인 물렁함에
내안의 사나운 아우성
묵 앞에서 침묵한다

꽃그늘의 슬픔

꽃봉오리 다투어 피어나는 봄날 공원
백목련 향기아래 손깍지 낀 젊은 연인
풍선껌
푸우우 불어
애인 볼에 터트린다

두근대며 불어넣는 애틋한 한 호흡에
가지 끝 꽃송이마저 벙그러져 터진다
간절히
몸 더듬을 때
낙화는 시작되는가

단물 빠진 껌처럼 뱉어진 흰 꽃잎들
서서히 더럽혀져 바닥에서 말라가듯
절정이
끝난 뒤에 견딜,
그 치욕을 모르고

증도 염전에서

온몸 밀고 간 자국에 짠물이 들어찬다

소금밭에 푸성귀처럼 절여진 사람들

한 점 열 물방울같이 증발하고픈 땅이다

날마다 검은 짠물 바닥을 긁어내도

어미의 울음을 빼닮은 새끼처럼

잉태된 각 많은 슬픔이 따닥따닥 슬어있다

풋앵두 필 때

갓 돋은 가슴 쥐며 아프다는 열세 살 딸애
녹두알만한 꽃눈처럼, 잎눈처럼 자리 잡은

수줍게 부풀어 오를
아, 봄날의 꽃봉오리

어머니는 아프고 덜 여문 내 젖가슴에
새빨간 아까징끼 발라서 후 후 불어

새 숨을 불어넣다가도
푸훗– 자꾸 웃으셨네

딸아이의 젖가슴에 약 발라 불어주다
나도 풋– 자꾸만 웃음이 번져오네

球根을 옮겨 심은 듯
입과 입 숨을 타는,

적벽에서 울다

점점홍 붉어지는 가로수길 달려간다
멈출 수 없는 속도 바깥, 햇살은 눈부셔도
타올라
소실점 그리며
사라지는 낙엽들

길 끝에 물방울로 고여 앉아 우는 사내
절벽에 켜둔 램프처럼 혼자 타는 나무들
슬픔을
다독 다독이는
바람의 손이 붉다

환한 빛 사그라진 들국화 그늘 깊고
숨죽인 울음소리 꺼질듯 위태로워
달빛이
조도照度를 낮춰
야윈 길, 마중 온다

빈 방

단단한 껍질을 뚫고 불쑥 내민 머리통
살찐 몸통 꿈틀대며 마디들이 기어 나온다
남루한 안식을 버리고 빛을 쫓는 애벌레

벗어 던진 짐짝처럼 뎅그러니 놓인 밤톨
뻥 뚫린 구멍이 참숯보다 새까맣다
목숨이 만들어진 곳은 왜 어둡고 깊은지

곰 한 마리 동굴에서 여자가 되었고
침묵으로 날개를 꿈꾸는 애벌레들
우화羽化의 캄캄한 배경을 허물 벗듯 벗는다

목이 긴 꽃병

1.
골목 끝 외딴 집, 눈이 예쁜 벙어리 여자
제 사내 발자국 소리 귀신 같이 알고 듣고
외등이
환하게 부풀 때
굳은 시간 피가 돈다

2.
다 시들은 생명을 용케도 내뱉듯이
붉은 꽃잎 떨구는 달거리의 현기증

차오른 달과 해 지워져
텅 비워진 둥근 방

두 눈 떠, 뼈로 서는 심장이나 날개였을
유정란을 휘젓는 일, 손이 자꾸 주춤거린다

닿고픈 먼 이역異域처럼
또 불 켜질 여자의 몸

은행나무 아래에서

빈 들길 서성이는 한낮의 우울증이
시리도록 반짝이며 환하게 도금되는
황금빛, 몽블랑 만년필 펜촉 되어 선 나무

촉끝으로 운문을 갈겨 쓴 듯, 쉼표 찍듯
하늘의 깊이를 재며 참새 떼 날아간다
수직성 운명을 향해 다 비우는 시간이여

정수리의 만년설… 잉크 속에 번지며
심장 아주 가까이 펜으로 선을 새기는
그 소리 들으라는 듯 금빛 말들 쏟아진다

식물성으로 기운다

윗 층 부부 땀과 신음 간간이 흘러들어
어린 고사리 잎사귀처럼 말려 감긴
욕망의 소용돌이가
고개를 치켜든 밤

사방천지 수컷나무 한 그루도 없는 곳에
스스로 물에 비친 제 모습만 보고서도
황금빛 열매를 탄생시킨
은행나무를 생각한다

세계는 교미와 출산 두 바퀴로 굴러간다고
허물을 벗는 달 경련하는 달빛 아래
몸 섞는 점액질 밖에서
점화하는, 오! 식물들

봄, 치어 떼를 풀어놓다

1.
각을 세운 긴 계단의 지하도 입구에서
상한 열매 제 그림자 안은 채 말라가듯
엎드린
여자의 구걸처럼
허기진 빈 양푼

먼지 끼어 엉켜진 숱 많은 머리칼을
넘어가는 금빛 햇살 참빗으로 빗질할 때
몇 닢의
던져진 동전
종소리로 울린다

2.
겨울 땅 부풀어 녹아 춘니되어 질컥이고
봄바람은 멀리서 치어 떼를 몰고 와
연둣빛
꽃눈, 잎눈으로
지상에 풀어 놓는다

무적霧笛

천지간 벚꽃들 흩날리는 길 거닐면
자신이 꽃이었던 한 때를 기억한다
꽃 수술, 그 아프지 않은
말뚝 박아 중심 잡던,

하얀 꽃잎 질 때마다 발등 찍힌 듯 아픈 건
누군가의 몸에서 나 피었다 지는 거지
자꾸만 글썽거리는
안개 낀 이 봄날

꽃잎 지자 마음 벽 허물어진 마음 밖
그 허공을 서성이는 사람과 사람 사이
꽃잎들 고삐를 풀어
일제히 출항한다

우연한 시선

탑처럼 쌓아놓은 때깔 좋은 복숭아를
조심스런 걸음 끝에 한 개 집어 올린 순간
와르르
무너져 내려
상처 난 복숭아들

만질수록 지문으로 더럽혀지는 거울같이
다독일수록 점점 더 망가지는 생이 있다
여름날
붉은 수은주가
한 눈금 올라간다

도서관에서

침묵 속 책장 넘긴 소리가 호록 호록

꽃밭에 가 닿고픈 나비 날개 짓 소리로

물 젖은 평면의 시간을 납작하게 엎드려

밑줄 긋고 외우고 다시 한 번 고쳐 쓰며

행간의 이랑들을 건너는 뜨거운 숨결

만성의 두통약 녹듯이 구름 속 달 희미하다

주름진 애벌 잠 몇 번 자면, 물기 마르면

저마다 주문 외듯 찡그리고 달싹이며

고단한 지분 날리며 서툴게 호록 호로록

봄날 2

가 닿으면 영혼이 통한다는 새끼손가락

네 잘린 손가락 그 빈자리 씀벅여도

낯익은 지문을 닮은 꽃과 잎 피어난다

여린 가지 끝이 닿아 잠깐씩 하나 될 때

그 끝에서 초록으로 우거지던 약속같이

아홉 개 손가락 끝에 또 다시 별이 뜬다

제2부

통증

목탁 속 어둠 닮은 저녁이 오는 망해사
우는 사람 뒷모습 같은 느티나무 한 그루

우수수
잎들 떨구며
바람에 몸이 휜다

울음 끝 퉁퉁 부은 목젖 같이 붉은 노을
곧 꺼질듯 점멸하는 불빛 아니 혹은 당신

탄광 속
카나리아 새의
울음 같은 너의 안부

옻, 견딜 수 없는

원해요. 붉은 죄를
만개하는 고통을

가려운 피톨들
질주 본능 나쁜 피를

달콤한 더운 혓바닥
진홍빛 거짓말을,

높은 장작더미 위…… 치맛자락 불이 붙는
화형대 화염 속을 날아올라 거듭날래요

태양에 둥지를 틀고
나는 다시 움틀래요

곰국

장작불에 끓여서 택배로 온 사골국물
몇 번씩 우려내느라 어머니 병 앓았을

분주한 시간의 뒤꼍에
우두커니 버려져서

상한 국물 버리는데 끌끌끌 혀를 차듯
하수도를 맴돌 다 죄 빠져 나간다

뼈 구멍 숭숭 뚫리도록
또 당신의 등골 뺀 밤

한 사발의 곰국이 젖이 되고 꽃이 되길
주문처럼 되뇌었을 기도소리 들려온다

멀겋게 더 우릴 것 없는
진기 다 빨린 어머니

에셔 그리고 관계

묶일 듯 곧 풀릴 듯
이상한 고리 하나
매듭을 짓는 건지
푸는 건지 모호하게
정지된 황금 실을 따라
안과 밖 몸 바꾼다

내 몸의 조각들이
네 몸 일부가 되듯
제 빛이 없던 달도
햇빛으로 빛을 내듯
너 없이 나의 결핍은
채울 길 하나 없다

시간과 생명들이
꼬리에 꼬리 물고
중심에서 변두리까지
변신하며 변색하며

경계를 넘나들면서
촘촘한 그물을 짠다

거울, 더듬다

1.
섬광 번뜩이는 눈
들여다보는 한순간
등 뒤의 먼 풍경까지도
환히 빨려 들어가
기억에 붉은 불을 켜
깜박깜박 반사되는,

2.
어금니 사이 먹이처럼
퍼득이며 숨고 싶을 때
문득 떠오르는 암모나이트 화석
과거와
현재 사이에
갇히고 싶지 않았을

눈 오는 밤

희미하고 희미해지다
끝내는 잊혀질

한없이 생략되고
행렬에서 열외例外되는

불우한
운명의 손금에
칼금을 긋고픈 밤

맨드라미

붉은 꽃뱀 한 마리
맨살을 기어간다

세운 비늘 꽃잎 훑고
허물 벗어 미끄러지며

악몽이 붉은 잠 속으로
꾸역꾸역 기어든다

칼날의 상처들을
도마처럼 새기며

기억의 비곗살을
주렁주렁 매단 채

바람이 흔적을 지우 듯
사막의 몸 허문다

주파수를 맞추며

나와 나, 수많은 사이 후회가 빽빽하여
전원을 켠 라디오 지직거리는 잡음소리
한 소식
붙잡고 싶어
안테나를 세운 가을

주파수 바늘처럼 길과 길 서성일 때
억새꽃 길 밖으로 파편처럼 흩어지며
힘없이
무너졌다가
한 점 열로 튕겨 오른다

바람에 올라타 떠나가는 숨탄것들
흰 길이 캄캄하게 소실점으로 사라지고
낯익은
울음소리 같은
빗소리 가득하다

숨의 협주

코 고는 소리마다 불면의 파도 되어
한 밤을 흑명석으로 구르다 깨어지며
듣는다. 강약과 고저
리듬 맞춰 우거진 숨

투명한 햇살 속에 솜털의 떨림부터
성난 폭풍 날개까지 숨이 숨을 데불고
밤낮의 들숨 날숨 섞어
우주를 확장한다

카운트다운

간밤, 신발을 잃고 꿈속을 헤매었다

발꿈치가 아프고 발바닥이 부었다

신호등 노란 불빛이 깜박이며 재촉했다

가문 벌판 흰말 떼가 달리듯 비가 왔다

와르르 기억들이 무너지며 쏟아졌다

바닥에 잎들 후회하듯 거뭇거뭇 말라갔다

마지막 게워내는 인분처럼, 유언처럼

더운 숨 흘러내려 모래흙에 스며들고

색들이 떠나고 난 뒤

고요, 귀를 찌른다

동경憧憬

흰 구름 흘러간다. 그 그림자 쫓아간다.
허공을 사이에 둔 아득히 먼 거리
지상에 어룽거리며
구겨지는 구름 그늘

산 정점에서 잠깐 동안 가깝다 또, 멀어진다
뭍을 죄다 쓸면서 흘러 흘러 가야하는
우울한 시간 속에 갇혀
제 각각 점멸하는가

낮술을 마시고 울음 우는 젊은 여자
벌어진 입 속이 까맣다. 텅 빈 중심
빛으로 몸 바꾸고 싶어
그림자 펄럭인다

빛을 따라 쫓으면 여전히 어둠 일뿐
슬픔은 엷어지다 진해지다 지루한 반복
고요한 후문 찾아서
우연인 듯, 숨고 싶다

이빨자국 난 시간

이제 갓 핀 꽃밭에는 한 무더기 토사물

날 것들 엉겨 붙어 다투는 그 곁에서

때늦은 끼니를 때우는 좌판의 할머니

찬밥덩이 꾸역꾸역 서러움을 삼킬 때

낡은 자루 타개져 쏟아진 알곡처럼

우르르 몰려나오는 직업학교 젊은이들

내던진 돌멩이같이 새 한 마리 날아가고

털 빠진 수캐 헐떡이며 흘레붙는 대낮 거리

유리문 햇빛 되쏘아 욕설처럼 찌른다

통기타 치는 남자

눈물 도는 눈동자에 갇혀버린 밤이 있네
희디 흰 손가락으로 긴 머리 어루만져
애인을 무릎에 누인 채
한 숨결로 우거지네

雨期의 폭포처럼 무너지는 밤이 있네
빈 마음 공명통 되어 둥그렇게 파문 일어
조용히 악기를 울리듯
날 울려도 좋겠네

홑겹의 꽃잎 같아 신열이 들끓는 몸
이마를 짚어 주며 뛰지 않는 맥을 짚어
다정히 등 뒤로 안고
두 심장을 포개네

그대에겐 내가 스밀 수 있는 길이 없어
흰 봉선화 으깨져 붉은 빛깔 불러오듯
그 환한 물이 들고파
까치발 든 봄이 있네

우연한 시선 2

4월의 진눈개비, 어둠 속에 꽃피어

마구 쓸려가며 붙잡을 곳을 찾듯

불안에 검붉은 피를 다 빨린 얼굴로

진눈개비 그림자 흰 벽면에 흘러간다

어디론가 불려가는 불길한 발자국들

먹구름 영혼을 닮은 떨리는 저 심장판막!

우연한 시선 3

색 바랜 우산을 펴 땡볕 가려 세우고
낮은 기둥 기울듯이 졸고 있는 할머니
터트린 제 포자인 듯
초록의 식물성들

함지박 가득 담긴 상추, 깻잎, 고추, 마늘
지나가는 행인마다 눈 맞추며 권해보다
땡볕에 쉬 시들까봐
손부채 바람 인다

호루라기 고함치는 단속반의 발길질에
엎질러져 흩어진 푸새 것들 주워 담고
묵묵히 손톱 다 닳은
시간을 또 견딜 뿐

쌓아둔 푸성귀 한 바구니 팔릴 때에
잔잔하게 번지는 물결무늬 주름들
가로수 그늘 늘려서
그 풍경 쓰다듬는다

분꽃

분홍빛 알전구들 소문처럼 켜지는 밤

홑겹치마 부풀고 분내음이 만개하는

긴 잠 끝

길몽같이 맺힌

새까만 두 눈동자

해금 소리

바람이 바람을 몰아가는 빈 들녘

며칠 주린 두 눈 속에 얼비친 물기 같은

다 헤진 치맛자락에 모래알이 쓸리고

매듭에서 풀려난 실오라기의 잔 떨림

흰 맨발로 찬 물속 걸어들다 뒤돌아본

더 멀리, 멀리 가서는 안개 빛 여백이 된

제3부

충전

연등에 든 후에도
흔들리는 촛불같이

시계 밖의 시간을
황홀하게 길어 올리며

열 달의
눈금을 채우는
탄생 전 무명無明의 잠

13월로 가자

전략도 전술도 없는 이 봄밤 달이 찬다
달북을 두드리면 휘날리는 금분가루

색깔의
볼륨을 높여라!
너는 꽃피는 체질

질질 끌던 통꽃 같은 긴 치마를 좌악 찢어
백합화 꽃수술의 긴 다리를 내어놓고

춤추는
무릎 사이로
만발하는 꽃과 잎

알 수 없는 前生과 今 生을 사는 동안
통증의 몸 노독 풀릴 황금의 달에 들자

곁가지
눈 틔우듯이
아흐 가자, 함께 가자

술 취해 꽃가지 꺾어다 놓은 듯이

아카시아 꽃가지 밤길에 놓여있다.
너흘너흘 흘러간다. 너를, 너를, 찾아간다
나무와 꺾인 꽃가지 사이
서성이는 꽃향기

나 너를 잊지 못해 침묵 속에 묻었는데
흙 한 톨씩 벗겨지는 유물의 빤짝임같이
기어이 숨기지 못해
냄새피운 맘이 있어

술 취해 꽃가지 꺾어다 놓은 듯이
내 인사란 전화 칸에 적어놓은 첫사랑
제비가 집짓기 위해
물어온 금반지같이

충전 2

비온 뒤 움푹 패인 웅덩이에 고인 빗물
바람의 손가락이 흰 건반을 두드린 듯
차르르 수면 가득히 물결이 번져가고

잘 닦인 거울로 흰 구름을 비추다
자동차 바퀴에 찢겨지고 문드러져
미친 듯 출렁이면서 통증을 가라앉힌다

뼈도 없는 몸의 상처 서둘러 꿰매어
그리운 눈동자처럼 한 세상 고집하며
지워진 풍경을 담아 고요하게 깊어진다

비눗방울 이는 그 말

주름진 입술을 오므렸다 폈다가
꽃가루 묻은 말을 보송하게 착착 발라
집으로 돌아오는 길
발걸음이 간지럽네

두 팔을 앞뒤로 경쾌하게 흔들 때마다
비눗방울 부풀어 포르르 날아올라
날 숨의 숨구멍마다
거품 일어 터지네

슬픔이 손 밖으로 미끄럽게 빠져가네
눅눅했던 하루가 사금砂金처럼 반짝이고
꼭 다문 꽃봉오리들 웃음으로 만발하네

명랑한 꼬리 흔드는 음표 같은 작은 새여
마른 가지 오선지 오르내리며 노래해
닫혔던 시간의 마디 환하게 열리네

떨어진 꽃을 줍는 손

핏기 없는 심장에 숨 불어 넣은 듯
능소화 한 송이 바위에 떨어져
서로의 심장이 닮은 얼굴로 글썽인다.

목 맨 가지 꺾이어 어찌어찌 살아났다던
다방 레지 데려다 신방 차린 노총각
바닥에 통꽃을 주어 늘 물에 띄웠다더니……

물속 달 같은 쪽창 불빛 밤늦도록 환하다
바위의 부처 얼굴 바람에 다 지워져
입가의 미소만 남아 잔잔히 웃고 있다

다시, 동굴

간신히 매달려있는 물방울 같은 젖가슴, 우기 끝에 흘러내린 흙더미 같은 맨살, 버려진 모래시계로 노파가 누워있다

꽃멍울 울울창창 피고 지던 자국마다 울음이 박히어 얼음 든 통증으로 희미한 심장박동소리 수평선을 찾아가는가

내연內燃의 연료가 이제는 꿈뿐이라서 흰 이불 둘둘 말고서 중심을 텅 비우는지, 애벌잠 몇 잠 잘 주무시고 금세 날아가려는 듯

빗소리 변주

 – 우리는 불운하면 순진해진다. (라 퐁텐)

1.

용돈이 다 떨어진
자취방에서 맞은 장마

골목 가득 음식 냄새 긴 줄기 뻗어가며
달궈진 불판 위에 삼겹살이 익어가고
파전을 노릇노릇 기름 둘러 지지는
연탄아궁이 물 차오르도록 빗소리로 섞일 때

간장에 밥 비벼 먹으며
밥알같이 어두워진,

2.

가주佳酒를 빚어 놓은
항아리에 귀 기울이면

검푸른 대밭에 수런거리던

그 빗소리

온 몸의
통점을 깨워
내성적으로 씀벅이던

3.
푸성귀에 소금 간하듯 종일 내린 진눈개비
무거워진 물방울, 뱀 머리 같이 휘번득이며
창문에
흘러내리고,
구불텅 마음도 휘는

발효 기간

설탕가루 뿌려져
매실열매 담겨졌다

황홀했던 시간이
환멸로 바뀌고

타인의 고통에 기대어
침묵을 완성한다

밀폐된 문을 열고
숙성을 확인하려

항아리 뚜껑 열듯
천천히 차오르는 달

주름진 열매를 건지듯
부고 소식 전해온 밤

강물에 그림자를 드리우고

돌에 걸린 물 속 편지
흘러가지 못하고

캄캄한 울음주머니 가득한 혼잣말들

나는 또…
뒤돌아본다

꽃대의
수직 절벽을,

받침을 고치다

옻칠 고운 참나무 함, 균형 잃고 딸그락댄다
연장을 든 남편이 뒤집어 본 함 밑바닥

한 개의 다리에만 없는 부드러운 고무 받침

잃어버린 고무의 얇은 두께 때문에
받침 세 개 모두가 기울어져 소리 냈던……

침묵은 작은 소리에 쉽게도 무너진다

짧아진 다리받침에 덧대어 고치지 않고
세 개의 받침을 칼로 깎아 고치는 남편

보증 서, 통장 몇 개를 다 비운 저 아집!

참나무 속살이 떨어져 내린 순간마다
참깨 턴 듯 쏟아져 흩어지는 내 꿈들

받침이 낮아지고서야 비로소 고요한 함

저린 손가락

두근대는 새 책 읽다 차마 덮지 못해
책장과 책장 사이 손가락을 넣어둔 채
잠이 든,
심장이 붉어
전원을 끌 수 없는

썰물이 웅덩이에 물고여두고 떠나듯
어쩌다 마음에 든 책장의 귀를 접듯
깨물린
검지 손가락
통증이 환하다

생각이 섞이면서 묽어지며 짙어지며
너덜거려도 새로워 오래 아껴 읽고픈
내 생에
없던 연애가,
애인이 곁에 온 봄

낙엽의 시간

한 잎의 초록으로 반짝임 울창했던
나는 나를 어서 빨리 지울 수 있을까요?
소리의 동심원처럼 나는 점점 희미해요

가만가만 어루만지는 바람 손길 따라서
지평선 그 사각형 잠 속으로 누울까요?
혼잣말 중얼거리며 섬이 되어 떠다녀요

홍염紅艶

구름 그늘 지나가듯
그리운 시절 있어

뜨거운 양철지붕 같은 이랑들 건널 때면
후회가 울창해져서 숨이 탁 막혀요
소나기에 돌확 물은 넘칠 듯 말 듯
물젖은 해바라기는 벌써 기울었는데
그때 범람하지 못해 갈증이 들었죠
빗속에 세워둔 자전거 바퀴처럼
앞바퀴 되어 먼저 끌어주길 원했지만
붉게 맥박만 뛰어 울렁이며 숨 가빴죠
이별 후 심장은 꽃의 비명 혹은 꽃의 잠복
노래를 풀어놓은 그 흰 길을 찾아서,

바늘귀 꿰어질 실처럼
그대의 문 간절해요

선유동 숨터에서

울창한 숲속에다 새로 지은 황토 집
둥근 벽과 둥근 천장, 달콤한 봉분 같다
며칠간 방 하나 세 들어
흙잠을 꿈꾸는 밤

아궁이에 불 지피는 재혼부부의 봄 닮은 말
– 추어야 꽉 보듬제.
– 아, 더워야 홀딱 벗제.
혼자서 헐렁하게 웃다
숨의 기원 생각한다

신혼의 방 굴뚝에 하얀 연기 풀리고
꽃무늬 젖유리창 살빛 등이 꺼지면
겹의 겹, 몸 사이 탄생할
환한 불을 떠올린다

친근한 꽃과 나비

꽃밭에서 사진 찍는 분단장한 할마시들
제 새악시 찍어주듯 셔터 누르는 할배들
카메라 렌즈 사이로
웃음 지며, 눈 맞추며

"하백 꽃들, 모여라!" 대장 할배 고함치자
"네에에 - ." 쪼르르 모여드는 할마시들
소풍 온 노인대학 깃발
날아갈듯 펄럭이고

어처구니가 없다는 듯 젊은 애들 키득대는
봄꽃 축제 광장에서 차오른 숨 고른다
절정인 꽃이었던 때를
빛난 별로 새겼는가

꽃 떨어진 꽃받침은 왜 모두 별모양인지
나비처럼 꽃 곁에서 사분대는 사람들
시공이 서로 얽혀있는
끌림의 인연들

가을

명치끝 숨죽이는 울음이 차오르듯
거대한 그림자인 캄캄한 밤이 오고
고장 난 시계 초침 같은
심장소리 흐려진다

오래도록 무릎 꿇어 피가 돌지 않는 시간
백치의 손끝에 지폐처럼 버려지는
핏빛의 그리운 敵과
기도와 잡은 손들

제4부

애월, 그 바다

혀를 문
절벽의 시간
철썩이는 파도소리

애원 끝 따귀 같은……
숨을 쉬는
이 참혹

수평선
그 양쪽 끝이
희붓하게 휘어진다

후숙後熟

죽은 날것 켜켜 쌓인 침침한 가로등 아래
지갑을 탈탈 털어 차비를 손에 쥐고
오지의
정거장에서
낙과처럼 불안한 밤

막차가 불 깜박이며 급하게 들어설 때
동전 하나 떨어져 손끝에 잡히지 않던
납작한
나의 그림자
흰 벽에나 세워보는

다랑쉬 오름

늘 빨아도 허기진 함몰된 유두같이
키 작은 마른 풀잎 악착으로 붙어사는
혈연의
깊은 우물 같은
아득한 젖 냄새

첫 숨이 트인 듯 허파꽈리 부풀고
푸르른 유선乳腺처럼 먼 길도 부풀어서
외로운
사람을 품고서
오래 젖을 먹이는 산

두 개의 저수지

비 들치는 풍경이 수묵으로 어두워진
희미해진 웃음과 번지는 울음 사이
포플러 잎새를 닮은
귀 돋느라 숨이 차다

너의 두 눈 바라보며 사랑했다 오래도록
흰 새가 깃들 듯 수면 속에 걸어들어
수크렁 진흙바닥에
처박힌 얼음심장

빠르게 흘러가는 구름 아래 얼비친다
얼음심장 녹아내려 물의 수위 출렁이는
무저갱 그 끝 모를 곳에
기억이 불어터진,

그리운 곡선

한 손이 다른 손에 다가가다 망설일 때
꽃이 피려 달큼한 살 냄새를 피웠던가
불빛이 어두운 밤바다 물 위를 기어간다

끊어지고 일그러진 마디를 붙이고
손 발 없는 몸뚱이로 배를 밀며, 배를 밀며
그렇게 미끄러운 길에 든 적이 있었다.

반듯하게 가려해도 자꾸만 휘어지는
뒷걸음칠 수도 없는 꽃뱀의 행려처럼……
꿈인 듯 멀어진 사이로 그어진 긴 수평선

녹, 붉은 울음

갈증의 극점까지 견디다 떨어진
붉은 단풍 한 잎이 창문으로 날아들듯
한밤중 전화선을 타고
긴 울음 흘러든다

바닥을 죄다 훑고 흘러온 그 물길은
범람하는 강물처럼 맑음을 잃어서
가슴에 쩍 쩍 금이 가
통증이 만발하는

여닫이 문 여닫듯
나비 날개 짓을 닮아
미쳐서… 날아갔다 지쳐서 되돌아오는
녹슬며 오래 꽃 피우는
경첩으로 박힌 사랑

안과 밖 모서리뿐인 반짝임을 삼키고
얼어붙은 마음 길을 녹이며 짓뭉개며

침묵 속 덕지덕지 녹슨
붉은 말, 소름 인다

J에게

웅덩이에 잠겨 있는 하늘 향해 날아든 잎

무한 수렁
그 깊이는
거울처럼 너무 얇아

잘 못 든
어떤 시간은
같은 질문을 낳는다

달에 입문

바닷물이 육지로 당겨지는 인력으로
남자가 여자에게 촛불 붙이듯 기울인 밤
보름달,
그 열린 바늘귀로
숨을 타려 건너오는

황홀한 탄생의 입구이자 출구인 문
온 몸 달아 금빛을 산란하려 애쓰는
극지의
차가운 맨살을
문질러 움트는 불

상승과 하강하는 몇 겹 꿈을 벗으며
씨앗 속에 또 숨은 씨앗으로 설레이며
완숙의
눈금을 세는
기다림 참 둥글다

낯선 콜라쥬

엔진소리 뽕짝 소리 요란한 완행버스
급커브를 돌아서자 비닐봉지 터져서
쏟아진 검은 장어 떼가
환호작약 펄떡인다

잡으려는 손 밖으로 한없이 미끄러지고
손녀딸이 애를 배 멕일란디······ 그 말끝에
틀니가 덜컥 빠져서
바닥에서 웃고 있다

궁시렁대는 손아귀에 잡힌 꼬리 들썩이듯
불콰해진 시간을 황홀하게 달려간다
직진의 봄길 밖으로
숨 차오른 연둣빛

흐린 날

소나무 휜 가지로 언덕 짚어 숨 고르고

달려온 길 하나가 강물로 걸어들어

푸시시 불 꺼지는 소리

자욱하게 연기 핀다

홍매화를 수혈받다

어지럼증 앓는 봄 울먹이며 지나가요
간절한 심장의 두근거림이 묻은 빛깔
홍매화 꽃잎 꽃잎들
몸 열고서 받아요

오래 울어 물기 빠진, 색을 잃은 마음에
씨앗들의 숨소리가 낱낱이 들려오고
맨살의 흰 솜털들은
촉을 세워 일어서요

핏기 없는 내 입술에 손가락을 깨물어
피 뚝뚝 흘려주던 전생의 정인情人 내음
겹겹의 나이테 속에서 날 부르는 목소리

연둣빛 쌍떡잎 발자국을 찍으려
마른 풀잎 손을 잡는 봄바람이 불면은
연분홍 꽃그늘 번져 두 볼에 홍조 띠어요

대숲을 관통하며

한낮에 컴컴한 대숲을 관통한다
살얼음의 침묵이 걸음마다 깨어져도
진흙 속 꽃핀 적 없는 너와 나는 봄의 심장

혈연의 자력처럼 출구 찾아 걷는 동안
드높은 천국과 성전의 몸을 열망하며
어둠을 칸칸이 신고 발차하는 사람아

푸르른 눈금 새긴 수직성의 길이었으나
간통의 치마 밖으로 버려진 오누이 같이
이생은 너무 추워서 이가 딱딱 부딪친다

슬픈 매듭

신발을 잃고서
꿈속을 헤매면
그날 운세 사납다는데
벗어놓은 신발처럼
잎새 둘 물웅덩이 가에
가만 놓여 있었던가

창문 틈새 기어들며
바람 종일 울부짖던 날
누군가 머플러로
목을 맸다는 소식에
목숨이 발버둥치는
파동이 숨 막힌 밤

배달상자 묶인 매듭 가위질 않고 애써 푼다
목 조이는 주름 접힌 시간들이 다 풀려서
꿈꾸던
다른 몸으로
만화방창 우거지도록

사랑받는 돌은 둥근 돌이요,
사랑받지 못한 돌은 깨어진 돌이니

빨아놓은 수건이 얼어붙은 단칸 방
피가 도는 혈관마저 흰 성에가 끼었을
잉크가 떨어진 만년필
그 텅 빈 심지까지

허기와 병마에 써도 써도 가난뿐인
원고지 빈 칸 알슬듯 붉은 피 쏟아 놓고
별이 된, 본디 둥글지만
모서리로 글썽이는

다시 J에게

당신을 듣기 위해 온 몸이 귀였던, 바퀴자국 새겨지는 물컹한 진흙이던, 나 한 때 사랑만으로 천국이며 밀교였던가요?

하품하듯 거품일 듯 시시껄렁한 이 계절, 내 가슴은 C컵 D컵 호박 크듯 커 가구요. 더 오래 연주되기 위해 머리도 기르는걸요.

가을 흰나비를 보면 슬픈 일이 생긴다지요? 한 모금이 한 병이된 화주냄새 엉겨 붙는 밤. 그믐달 사라지기전에 차라리 죽어 … 당신

미몽迷夢

메마른 흙덩이에 첫 숨 불어 넣은 듯
백일홍 꽃봉오리 활활 타며 너훌대는
요월정邀月亭,
곁불을 쬐듯
그 곳을 찾아간다

오래전 내 심장 당신에게 쏟아지고
당신의 구름심장 천변만화 변심하여
갈라진
혀끝으로만
불속에 집을 짓는……

불의 혀가 훑고 간 그을린 꽃의 영혼
밥물 같은 빛깔로 풍경이 흐려지는데
두 눈을
질끈 감은 화염 속
현기증난 이 꿈 밖

I can, 나는 깡통이다

치명적인 비밀을 지켜야 되는 불우함으로
누설수위 달처럼 차오르다 야위다
위험한 슬픔 한 덩이
下棺하듯 쓸어 넣는다

시종이 분명하게 잘 밀봉된 나는 깡통
일자무식 입 다문 침묵이 녹슬도록
내 안에 부패되지 않을
한 시름의 싫음이여

환절기

나는 오래 버려진 사물처럼 쓸쓸했다
눈물이 슬픔 아니고는 올 수 없음을 확신하는
계단 위 나의 그림자 너무 많이 접혀있다

모든 봉우리엔 휴식이 있다던 괴테 말을
절반쯤 타고 드는 생목과 재의 시간을
오뉴월 얼음심장에 쇠뇌하며, 곱씹으며

편도가 퉁퉁 부어 고열이 들끓었다
빙점의 파르란 별들 유리창에 어룽대는
고요한 크레바스의 얼음 틈 같은 단칸방

난간도 없는 가파른 계단을 올라선다
사이렌 같은 이명 속 … 춘하추동, 기승전결
훌륭한 플룻대로라면 나는 이제 웃을 차례!

■ 해설

램프와 새

이재복
(문학평론가 · 한양대 교수)

　시인은 시 속에서 자신만의 상징을 만들어낸다. 이 상
징의 정도에 따라 시의 미학적인 강렬함이 결정된다. 『목
이 긴 꽃병』은 이미 제목에서부터 상징성이 잘 드러나 있
다. 목이 긴 꽃병 속에 투영된 시인의 의식이란 '목마름'
이나 '기다림' 같은 열망이다. 하지만 이 열망은 수직의
절벽과 같기 때문에 늘 아득하고 아찔한 진행형으로 존재
한다. 이것은 '작가의 말'에서 '꽃대의 수직절벽'을 꿈꾸
는 시인의 태도와 다르지 않다. 시인이 꿈꾸는 이 수직절
벽은 상승 아니면 하강이다. 시인의 의식이 목이 긴 꽃병
에 투영되어 있다면 그것은 하강이 아닌 상승을 향한 열

96

망이다. 여기에서의 '목이 긴'은 곧 '꽃대'로 치환될 수 있다. 목이 긴 혹은 꽃대의 정점은 '꽃'에 있다. 어쩌면 이 꽃을 위해 꽃대 혹은 긴 목은 존재하는 것이라고 할 수 있다.

그러나 꽃에 이르기 위해서는 절대적인 시간이 필요하다. 긴 꽃대나 긴 목이 표상하는 바가 바로 그것이다. 긴 꽃대와 긴 목은 벼랑의 시간이다. 시인에게 벼랑의 시간은 '逆鱗'(「역린逆鱗」)이다. 그만큼 시간은 치명적인 위험을 지니고 있다. 벼랑의 시간에서는 자칫 잘못하면 천길 아래로 떨어질 수 있다. 벼랑의 시간에서 줄곧 상승의 과정을 향해 나아가는 것은 결코 쉽지 않으며, 설령 나아간다고 하더라도 여기에는 필연적으로 '씀벅이는 상처'(「역린逆鱗」)가 따를 수밖에 없다. 상처는 그것이 깊어지면 수직절벽에서의 상승을 불가능하게 할 수도 있다. 상처가 깊어 근원적인 힘을 상실한다면 그것은 상승이라는 존재 자체의 죽음에 다름 아니다. 하지만 상처가 이렇게 부정적인 면만을 드러내고 있는 것은 아니다. 상처는 또한 수직절벽에서의 상승을 가능하게 하는 근원적인 힘의 원천으로 작용하기도 한다.

이런 맥락에서 상처는 덧나게 해야 할 그 무엇이다. 시인은 상처를 자꾸 '씀벅인'다. 시인의 씀벅거림은 '달거리의 현기증'((「목이 긴 꽃병」), '진기 다 빨린 어머니'(「곰

국」), '아프고 덜 여문 내 젖가슴' (「풋앵두 필 때」), '꾸역
꾸역 삼키는 찬밥덩이' (「이빨자국 난 시간」), '짧아진 다
리받침을 덧대어 고치지 않고 세 개의 받침을 칼로 깎아
고치는 남편' (「받침을 고치다」) 등의 사건을 통해 드러난
다. 이러한 과정을 거치면서 시인은 상처의 이면에 은폐
되어 있는 의미를 발견한다. 가령

　　와르르
　　무너져 내려
　　상처 난 복숭아들

　　만질수록 지문으로 더럽혀지는 거울같이
　　다독일수록 점점 더 망가지는 생이 있다
　　　　　　　　　　　　　　—「우연한 시선」 부분 인용

　에서처럼 시인은 상처에 대한 섬세한 통찰력을 보여준
다. 일반적으로 상처를 만져주고 다독여주면 우리는 그것
이 치유된다고 생각한다. 시인은 이러한 생각이 가지는
예외성을 '상처 난 복숭아들'을 통해 제시함으로써 발견
의 묘미를 극대화하고 있다. 시인이 상처의 다양한 차원
을 드려다 본다는 것은 곧 그 상처가 가질 수 있는 가능성
을 열어놓고 있다는 것을 의미한다. 상처와 같은 어떤 현

상에 대해 다양한 가능성을 열어 놓으면 그것을 덧나게 하여 치유할 수 있는 길을 모색하는데 커다란 도움이 된다. 무엇보다도 상처를 치유하기 위해서는 그 상처가 지니고 있는 어둡고 깊은 세계를 드려다 볼 수 있어야 한다. 어둡고 깊은 곳의 바닥까지 닿아야 비로소 상처의 본질에 다가설 수 있다.

시인이 체험한 어둡고 깊은 세계에 이르는 시간은 물리적인 시간을 넘어서는 영혼의 시간이자 '묵묵히 손톱 다 닳은 시간'(「우연한 시선 3」)이다. 상처로부터 벗어나기 위해 오히려 그 상처의 어둡고 깊은 시간 속으로 들어서야 한다는 역설은 그녀의 시에서 '탄광 속 카나리아 새'(「통증」)와 '절벽에 켜둔 램프'(「적벽에서 울다」)라는 강렬하고 매혹적인 질료의 탄생으로 이어진다. 탄광 속과 절벽은 외관상 숨김과 드러남으로 표상되지만 모두 수직성을 띠고 있다는 점에서 다르지 않다. 탄광 속으로 깊이 들어가는 것과 절벽 위로 수직 상승하는 것은 모두 엄청난 열정적이고 의지적인 희생과 함께 상처를 동반한다. 탄광 속의 새와 절벽의 램프는 꽃대의 꽃이다. 만일 새와 램프가 없다면 탄광과 절벽은 그 의미를 상실하게 된다. 이런 점에서 새와 램프는 시인의 의식이 강하게 투영된 질료라고 할 수 있다. 새와 램프가 시인의 의식의 산물이라면 이 두 질료를 통해 드러나는 시인의 세계에 대한 인

식 태도와 해석의 방식은 그녀의 시를 이해하는데 반드시
거쳐야 할 과정이다.

　새와 램프를 통해 드러나는 시인의 의식이란 '비움'과
'열림'이다. 새는 비워야 날고 램프는 열려야 켜진다. 새
는 자신이 지니고 있는 어둠의 덩어리를 비워야 비로소
날 수 있고 램프는 틈이 있어 숨이 통해야 불이 환하게 켜
질 수 있다. 그렇다면 시인이 말하는 비움과 열림이란 어
떤 것인가? 이 물음에 대한 답은 『떨어진 꽃을 줍는 손』과
『선유동 숨 터에서』, 『J에게』 등에 잘 드러나 있다. 먼저
『떨어진 꽃을 줍는 손』에서 시인은

　　　핏기 없는 심장에 숨 불어 넣은 듯
　　　능소화 한 송이 바위에 떨어져
　　　서로의 심장이 닮은 얼굴로 글썽인다.
　　　……
　　　바위의 부처 얼굴 바람에 다 지워져
　　　입가의 미소만 남아 잔잔히 웃고 있다
　　　　　　　　　　　　　—『떨어진 꽃을 줍는 손』 부분 인용

라고 노래한다. '능소화'와 '바위', '바위'와 '바람'은 서
로 융화하기 어려운 성질을 지니고 있는 것이 사실이지만
이 시에서는 그것이 이루어지고 있다. 능소화와 바람으로

인해 바위는 글썽거리거나 잔잔한 미소를 짓기에 이른다. 서로 융화하기 어려운 속성을 지닌 대상들이 자연스럽게 융화한다는 것은 자신의 속성을 비우기 때문에 가능하며, 그것은 곧 서로에게 향하고 이르는 열림을 의미한다. 능소화가 바위를 녹이고, 바람이 바위를 지워버리는 이미지는 바위의 무거움을 덜어버리는 쪽으로 작동하여 결국에는 그것이 새 혹은 새의 깃털처럼 가볍게 비상할 수 있는 의미를 지닌다고 할 수 있다.

바위의 녹임과 지워짐이 새의 비상으로 이어진다면 이것은 곧 바위에 생명을 불어넣은 것과 다르지 않다. 이 사실은 절벽에 켜둔 램프의 이미지를 떠올린다. 절벽의 램프는 그 절벽을 녹이고 지우는 생명의 숨결 같은 것이다. 시인이

숨의 기원 생각한다

신혼의 방 굴뚝에 하얀 연기 풀리고
꽃무늬 젖유리창 살빛 등이 꺼지면
겹의 겹, 몸 사이 탄생할
환한 불을 떠올린다
                    ―『선유동 숨터에서』부분 인용

라고 할 때 여기에서의 '숨'과 '불'은 절벽의 램프와 무관하지 않다. 절벽(바위)에 숨(녹임과 지워짐)이 스며들고 그로 인해 불(램프)이 켜지면 그것은 하나의 생명의 탄생을 의미한다. 숨의 기원에는 반드시 불이 있어야 하고, 불은 생명의 정점으로 타올라야 한다. 시인은 이 생명의 정점을 꽃을 넘어 '별'(『친근한 꽃과 나비』)로 명명하고 싶어 한다. 탄광 속의 카나리아 새나 절벽에 켜둔 램프의 궁극이 이 별에 있다.

그러나 시인이 이 별에 이르는 길은 단선적이지 않다. 이것은 이 길이 단선적인 혹은 일직선적인 시간의 흐름을 지니고 있지 않다는 것을 의미한다. 매듭처럼 복잡하게 얽혀 있는 시간의 상태를 드러내기 때문에 별에 이르는 길은 선뜻 그 모습을 드러내지 않는다. 이런 점에서 별에 이르는 시간은 중층적이라고 할 수 있다. 시인은 복잡하게 얽힌 매듭, 다시 말하면 '주름 접힌 시간들'을 '가위질하지 않고 풀기'(『슬픈 매듭』)를 바란다. 주름 접힌 시간들에 가위질을 한다면 그 주름에 내재해 있는 숨과 불같은 생명의 실체들은 파괴되거나 사라지고 말 것이다. 시인이 별에 이르기 위해서는 시간의 주름 접힌 매듭을 풀어야만 한다. 주름 접힌 매듭이란 시간이 지니고 있는 상처를 의미한다. 상처는 가위로 그것을 도려낸다고 치유될 수 있는 것이 아니다. 그 상처가 지니고 있는 섬세한 숨결

하나하나를 느끼고 보듬고 그 흐름을 같이 할 때 치유될
수 있는 것이다.

　탄광 속의 카나리아 새나 절벽에 켜둔 램프로 표상되는
시인의 상처를 어떻게 발견하고 치유하느냐에 따라 그 새
나 램프가 별이 되기도 하고 또 그 자체로 깜깜한 암흑의
세계가 되기도 한다. 탄광 속의 카나리아 새나 절벽에 켜
둔 램프는 숨이 공급되지 않으면 모두 죽거나 꺼지고 만
다. 하지만 이것들에 숨을 무작정 공급할 수도 없다. 이것
들에 숨을 공급하기 위해서는 단선적인 시간 의식이나 어
떤 일정한 과정을 거치지 않거나 과도하게 생략한 채 그
것을 이루려는 그런 시간 의식으로는 불가능하다. 탄광
속의 카나리아 새나 절벽에 켜둔 램프에 숨이 공급되기
위해서는 '둥근 기다림의 시간'이 필요하다. 탄광 속이나
절벽의 정점으로서의 별의 시간은

　　상승과 하강하는 몇 겹 꿈을 벗으며
　　씨앗 속에 또 숨은 씨앗으로 설레이며
　　완숙의
　　눈금을 세는
　　기다림 참 둥글다
　　　　　　　　　　　　　　　　　— 『달의 입문』 부분 인용

에서처럼 그것이 별이 되기 위해서는 '상승과 하강을 통한 벗음'과 '씨앗 속에 숨은 씨앗의 설레임'이 있어야 한다. 이러한 일연의 상호적이고 중층적인 과정은 평면적이거나 직선적인 시간이 아니라 입체적이고 둥근 시간을 의미한다. 둥근 것 혹은 둥근 시간의 흐름 속에서만이 탄광 속의 카나리아 새나 절벽에 켜둔 램프는 숨을 쉬고 불을 켜서 그 생명의 존재성을 아름답게 드러낼 수 있는 것이다.

탄광 속의 새와 절벽의 램프의 아름다움은 그것을 죽임이 아닌 삶 혹은 죽임이 아닌 살림에 있다. 둥근 것이 아름답다는 시인의 생각은 '사랑받는 돌은 둥근 돌이요 사랑받지 못한 돌은 깨어진 돌'(『사랑받는 돌은 둥근 돌이요 사랑받지 못한 돌은 깨어진 돌이니』)이라는 진술 속에서도 잘 나타난다. 시인은 사랑받는 둥근 돌이고 싶어 한다. 둥근 돌 혹은 둥근 시간의 견고함을 시간을 알고 있다. 시인의 안에 내재해 있는 둥근 시간에 대한 욕망이 바로 탄광 속의 카나리아 새나 절벽에 켜둔 램프를 탄생시킨 것이다. 시인의 안에 은폐되어 있는 이러한 세계의 질료를 발견하려면 어둠 때문에 눈에 보이지 않는 별을 볼 수 있는 감각이나 감성이 필요하다. 시인은 자신의 안에 은폐된 별을 보면서 '본디 둥글지만 모서리로 글썽이는'(『사랑받는 돌은 둥근 돌이요 사랑받지 못한 돌은 깨어진 돌이니』)이라고 말한다. 그냥 보면 별은 모서리가 있는 모습을 하고 있지만 그 이면에 은폐된 진정한 모습은 둥근 것에 다름 아니다. 하지만 우리는 본디 둥근 별을 보지 못하고 모서리로 글썽이는, 슬픔 혹은 상처의 시간을 살고 있는 것이다.

시인은 모서리로 글썽이는 자신의 모습과 동시에 본디 둥근 별을 발견함으로써 현상과 본질 사이에서 이루어지는 존재의 아름다움을 자각하기에 이른다. 존재의 모서리, 다시 말하면 탄광 속과 절벽에서 새와 램프와 같은 별을 발견하는 시인의 감성은 『목이 긴 꽃병』을 단번에 미학의 세계로 올려놓고 있다. 목이 긴 꽃병의 미학적인 목마름이 탄생시킨 새와 램프 혹은 별과 같은 질료들은 목이 길어서 오히려 더 아름답다. 목이 긴 꽃병, 탄광 속의 카나리아 새 그리고 절벽에 켜둔 램프는 서로 치환되거나 병치되면서 그녀의 시의 세계를 이룬다. 목이 길어서 슬프고 아름다운 세계의 비밀이 시인에 의해서 밝혀진다는 것은 익숙하면서도 새로운 이 시집의 미덕이다. 목이 긴 꽃병에는 시인의 꽃 혹은 별이 둥근 시간의 그늘 속에서 숨 쉬고 있다. 목이 긴 꽃병의 감성은 그 생명의 폭과 깊이를 알 수 없는 데에 매력이 있다. 목이 긴 꽃병 혹은 크고 깊은 감성의 그늘에서만이 새와 램프는 숨을 쉬고 또 불을 켤 수 있다.